这是我的书
It's MY BOOK
7级：400字

多彩的广告

作者：程以克（Vicki Cheng）
配图：秦志宁（Zhining Chin）

北京语言大学出版社
BEIJING LANGUAGE AND CULTURE UNIVERSITY PRESS
PHOENIX TREE
PHOENIX TREE PUBLISHING INC.

识读 杂志 报纸 电影
组合 了解

句型 把……放在……

字数 399字

yīng guó yīn yuè jù māo yào lái zhōng guó
英国音乐剧《猫》要来中国
yǎn chū le wèi le ràng dà jiā dōu lái mǎi piào kàn zhè
演出了！为了让大家都来买票看这
ge jù tā men xiǎng zuò yí gè guǎng gào guǎng gào
个剧，他们想做一个广告。广告
gōng sī zhǎo dào le shī rén ōu yáng jiāng hé qǐng nín
公司找到了诗人欧阳江河："请您
gěi wǒ men de yīn yuè jù māo xiě yí jù guǎng
给我们的音乐剧《猫》写一句广
gào yǔ ba wǒ men yào bǎ zhè jù huà fàng zài dà
告语吧。我们要把这句话放在大
guǎng gào pái shang ràng suǒ yǒu rén dōu kàn dào
广告牌上，让所有人都看到。"

ōu yáng jiāng hé xiě chu de guǎng gào yǔ zhǐ yǒu
欧阳江河写出的广告语只有
sì gè zì nǐ māo le ma méi xiǎng
四个字——你“猫”了吗？没想
dào zhè jù guǎng gào yǔ hěn shòu huān yíng rén men
到，这句广告语很受欢迎，人们
dōu zhī dào le zhè ge yīn yuè jù
都知道了这个音乐剧。

yǒu de guǎng gào méi yǒu guǎng gào yǔ zhǐ yǒu
有的广告没有广告语，只有
yí gè tú piàn huò shāng biāo nǐ kàn zhè ge kě kǒu
一个图片或商标。你看这个可口
kě lè de píng zi zhǐ yǒu liǎng zhǒng yán sè bái
可乐的瓶子，只有两种颜色，白
sè de zì hóng sè de dǐ kàn qi lai chōng mǎn
色的字，红色的底，看起来充满
huó lì xià miàn nà tiáo bái sè de dài zi xiàng liú
活力。下面那条白色的带子像流
dòng de shuǐ yí yàng ràng rén hěn xiǎng zài tiān qì rè
动的水一样，让人很想在天气热
de shí hou hē shang yì kǒu
的时候喝上一口。

qí shí zhè yàng de guǎng gào hěn zǎo jiù chū xiàn
其实，这样的广告很早就出现
le bǐ rú gǔ luó mǎ de yì jiā nǎi pǐn chǎng jiù
了。比如，古罗马的一家奶品厂就
yòng yì zhī dà shān yáng de tú piàn zuò wéi shāng biāo
用一只大山羊的图片作为商标。

guǎng gào kě yǐ shì wén zì tú piàn yīn
广告可以是文字、图片、音
yuè xiǎo diàn yǐng hái kě yǐ shì zhè xiē dōng xi
乐、小电影，还可以是这些东西
de zǔ hé rú jīn guǎng gào yǐ jīng chéng wéi rén
的组合。如今，广告已经成为人
men měi tiān dōu huì miàn duì de dōng xi
们每天都会面对的东西。

wǒ men de shēng huó zhōng hěn duō dì fang dōu yǒu
我们的生活中很多地方都有
guǎng gào zài gōng lù liǎng biān de guǎng gào pái shang néng
广告。在公路两边的广告牌上能
kàn dào zài diàn shì li néng kàn dào zài bào zhǐ zá
看到，在电视里能看到，在报纸杂
zhì shang néng kàn dào zài shǒu jī shang néng kàn dào
志上能看到，在手机上能看到，
zài guǎng bō zhōng hái néng tīng dào
在广播中还能听到。

guǎng gào de yì si jiù shì guǎng ér gào
广告的意思就是“广而告

zhī tā duì zuò guǎng gào de rén yǒu hǎo chù
之”。它对做广告的人有好处，

yīn wèi guǎng gào néng ràng gèng duō de rén zhī dào tā men
因为广告能让更多的人知道他们

de chǎn pǐn ràng
的产品，让

xū yào de rén liǎo
需要的人了

jiě gòu mǎi zhè
解、购买这

zhǒng chǎn pǐn
种产品。

1 英国音乐剧《猫》要来中国演出了！为了让大家都来买票看这个剧，他们想做一个广告。广告公司找到了诗人欧阳江河："请您给我们的音乐剧《猫》写一句广告语吧。我们要把这句话放在大广告牌上，让所有人都看到。"

2 欧阳江河写出的广告语只有四个字——你"猫"了吗？没想到，这句广告语很受欢迎，人们都知道了这个音乐剧。

3 有的广告没有广告语，只有一个图片或商标。你看这个可口可乐的瓶子，只有两种颜色，白色的字，红色的底，看起来充满活力。下面那条白色的带子像流动的水一样，让人很想在天气热的时候喝上一口。

4 其实，这样的广告很早就出现了。比如，古罗马的一家奶品厂就用一只大山羊的图片作为商标。

5 广告可以是文字、图片、音乐、小电影，还可以是这些东西的组合。如今，广告已经成为人们每天都会面对的东西。

6 我们的生活中很多地方都有广告。在公路两边的广告牌上能看到，在电视里能看到，在报纸杂志上能看到，在手机上能看到，在广播中还能听到。

7 广告的意思就是"广而告之"。它对做广告的人有好处，因为广告能让更多的人知道他们的产品，让需要的人了解、购买这种产品。

你"猫"了吗?
CATS
·猫·

Coca-Cola

CAREER AD
全场
3-5折

SAVING
YELLO
FREE download!

看图讲故事

Google
AdWords
iPhone
iPhone 一直被模仿 从未被超越